# ERZHERZOG JOHANN

## Die Kammermaler

GALERIE HASSFURTHER

5 ENDER, Thomas: Ansicht des Kapruner Ausgußgletschers 1830

# DIE KAMMERMALER UM ERZHERZOG JOHANN VON ÖSTERREICH

Es ist eine überraschende Tatsache, die bereits ein erster Blick in die Geschichte uns lehrt: von dem Augenblick an, als der Mensch in seiner Entwicklungsgeschichte es verdient Mensch genannt zu werden, von dem an begleitet ihn Kunst. Sie ist ihm existenziell aufgetragen, gibt ihm die Fähigkeit, sich ein Bild zu machen, ein Bild von der Welt um sich, ein Bild von der Welt in sich. Auf dem langen Weg der Kulturgeschichte waren die Aufgaben dieser den Menschen begleitenden Künste allerdings sehr unterschiedliche, haben sich immer wieder verändert, den gesellschaftlichen Strukturen angepasst und der historischen Situation entsprochen. So mag Kunst mit jenen Höhlenmalereien der frühen Jäger begonnen haben, die in ihr magische Kräfte erkannten, sie mag bald schon bei den seßhaft gewordenen Viehzüchtern und Ackerbauern zum Ausdruck des Besonderen, des gehobenen Besitzenden geworden sein, um schließlich mehr und mehr zum Stolz und Reichtum von Sammlern zu werden. Der Edle drückte seine Macht von der Frühzeit an in Kunst aus - die Wunderkammern des Mittelalters als Beispiel und das Streben der Renaissancefürsten zeigen das nicht minder - doch umsomehr wurde Kunstbesitz zum Ausdruck der geistigen Orientierung des Besitzenden, sie vermochte sichtbar zu machen, womit er sich umgab, was in ihm ist. Nicht minder gehören Schmuck und Zier zum gestalteten Umfeld des Menschen. Schönheit wurde früh schon zum Ausdruck seines Wertes. Umsomehr als die griechische Philosophie die untrennbare Einheit des Schönen mit dem Guten und Wahren als ein Fundament abendländischer Kultur formuliert hatte. Dennoch ging es bei Kunst immer noch um etwas grundlegend anderes: um den Wunsch nämlich, um die Hoffnung, dem unentrinnbaren Vergehen alles Irdischen ein Bleibendes, ein Überdauerndes schaffend entgegenzuhalten und damit der Zeit ein Zeitloses zu hinterlassen. Der Zeit die Augen zu öffnen. Für das über menschlicher Dimension Wirkende, für das Wesentliche und zu Bewahrende. So hatte und hat Kunst zu allen Zeiten die Eigenschaft der Notwendigkeit. Ihr war es immer gegeben, zu wenden, was der Zeit not tut.
Um zu erkennen, was einen Mann wie Erzherzog Johann von Österreich bewogen haben mag, eine Kunstsammlung so besonderer Art anzulegen und durch seine Aufträge an eine Reihe von Malern, die er als „Kammermaler" in seine Dienste nahm, zu gestalten, muß alles von dem bisher Gesagten bedacht werden, alles was in dieser Generation im Begriff der Verantwortung für viele gipfelte. Johann sprach einmal davon, daß sein Ziel es sei *„ein Leben für die Andern"* zu führen. Es war zweifellos dies eine ihn von Jugend auf bestimmende Vorstellung der Aufklärung gewesen, eine Utopie wohl, daß ein *„mit Beyspiel vorgehen"* dazu führen müßte, ein gerechtes, ein glückliches Zusammenleben der Menschen zu verwirklichen. Wie schade eigentlich, daß die so gerne zitierte Formel von der Geschichte als große Lehrmeisterin sich spätestens in unserer Generation als ein leeres Gerede herausgestellt hat, eine von den Historikern erfundene schöne Worthülse ohne Inhalt. War doch zuletzt alle Hoffnung auf ein stetiges Verbessern, auf Vernunft, Einsicht, Toleranz eben eine schöne, ja allzu schöne Illusion eines zukunftsgläubigen 19. Jahrhunderts geblieben. Ein Glanz dessen aber mag uns bis heute, vielleicht eben nur gerade noch bis zu diesem Augenblick, in der Sammlung Erzherzog Johanns entgegentreten.

Die Demaskierung durch das 20. Jahrhundert verlief total. In einer Wirrnis der Ereignisse haben Machtsucht, Hinterlist, Brutalität und Gleichgültigkeit für den anderen geradezu hemmungslos entlarvt. Die Welt der Übervorteilung, des Verdrängungswettbewerbes, der materiellen Nutzung niedrigster Triebe und einer Verachtung ohnegleichen aller errungenen Ideale humaner Existenz mit jenem schrankenlosen Sieg des zum Idol erhobenen Egoismus, spricht im Alltag unserer Zeit eine deutliche Sprache. Dann umsomehr wenn durch Populismus ein Anschein des Gegenteils erweckt werden soll, der sich ohnehin meist auf verbale Formeln in Sonntagsreden beschränkt. Indes der harte Kern von Idealen, nämlich selbstlose Verpflichtung und Aufgabe, er und sie insgesamt sind verloren, sind in die Mottenkiste ausrangierter alter Nutzlosigkeiten abgelegt. So glaube ich aber umsomehr daran, daß man gerade an einem Weltbild wie es der Erzherzog gefaßt hatte und vorzuleben trachtete, um es von Generation zu Generation weiterzugeben, nicht genug bemüht sein kann, Nachdenkliches einzubringen. Und genau dies sei am Beispiel seiner Kunstsammlung versucht.

Denken und Empfinden, die beiden Wege der Erkenntnis des Menschen, sie sind es, die allem Menschsein zu Grunde liegen. Wenn Goethe davon sprach, daß der Mensch nicht bloß ein denkendes, sondern zugleich ein empfindendes Wesen ist, *„ein Ganzes, eine Einheit vielfacher, innig verbundner Kräfte, und zu diesem Ganzen des Menschen muß das Kunstwerk reden, es muß dieser reichen Einheit, dieser einigen Mannigfaltigkeit in ihm entsprechen"* *(Der Sammler und die Seinigen, VI. Brief)* so bedeutet das nicht weniger, als daß an beiden Seiten - Wissen und Fühlen - der Mensch in seiner Beziehung zur Kunst zu prüfen ist. Dies wird sichtbar daran, wie er sein Wissen erweitert und anwendet und gleichzeitig, wie sehr er Kunst aufzunehmen und anzuwenden vermag. So lautet unsere Frage: welche Rolle hat im Denken und Empfinden jenes Mannes, dem eben das von ihm gewählte Gebiet Österreichs - die Steiermark - so viel Bleibendes zu danken hat, Kunst eingenommen, eines Mannes dessen Gründungen doch vielmehr von einer solchen Vielfalt sehr realistischer Art geprägt waren, die von Industrie, Bergbau, Landwirtschaft, sozialen Einrichtungen bis zu den kulturellen Institutionen wie dem Leseverein, der Lehranstalt und den Sammlungen des Joanneums oder dem 1817 eingerichteten Musikverein in Graz reichten.

Es findet sich seine grundsätzliche Zielsetzung sehr klar in dem Wort vom Oktober 1812 *„Ich suche mir einen Stützpunkt wo ich meinen Hebel einsetzen kann, nur einen kleinen Fleck Erde, um für die Zukunft das Gute zu bewahren ."* und weiter: *„So bin ich, halb kann ich nichts machen, weder fühlen noch unternehmen, noch ausführen. Ich habe es mir vorgenommen in diesen Zeiten allgemeinen moralischen Verfalls, ein Beispiel zu geben, was alter Sinn, Treue, wie die Väter waren, sei..."* (zit. Steirische Berichte III./1959, Nr.2/3, p. 3)

Nun war sein Lebensweg von der Grundvorstellung geprägt, daß es für allen Fortschritt gelte, zwei polare Anforderungen in Einklang zu bringen: einerseits zu verändern, was verändert werden muß, und anderseits zu bewahren, was nicht verloren werden darf. Eben dies traf sich bei ihm mit jener - oben zitierten - Anschauung einer Verbindung von Vernunft und Gefühl im Menschen, einer aus der Zeit heraus gewonnenen Position der Mitte zwischen Aufklärung, also erforderlichen Erweiterung des Wissens da, und der

romantischen Stimmung mit der starken Empfindsamkeit und Hingabe an das Unerklärbare der Gefühlswelt dort. Beides sollte für die Kunstauffassung Johanns bestimmend werden. Gerade solche Mitte sollte ihn so entscheidend prägen und selbst wir heute vermöchten gewiß nicht wenig darin zu erkennen, was auch unserer eigenen Zeit zu bedenken nicht unnütz wäre.
Wir können dazu genügend aus seinen eigenen Äußerungen ablesen, die solche Bipolarität spiegeln. So schreibt er am 18.Februar 1813 (zit. Kammermaler 1959, p. 19) *„Keineswegs verwerfe ich das Geistige und alles jene, das dahin zielet in unserer verhängnisvollen Zeit Vaterlandsliebe, Eifer zum Guten usw. zu erregen schließe ich nicht aus, im Gegentheil - aber das praktische auf das Leben des Menschen als Mensch, als Arbeitender für sich und andere als Staatsbürger (sich beziehende) ist sicher das wichtigste, dieses muß er vorallem wissen."* und am 4.Oktober 1812 (zit. Kammermaler 1959, p. 20) schreibt er an Kalchberg in der Frage der Besetzung der Lehrstellen am Joanneum: *„Ein Professor der höheren Ästhetik? Ich wünsche wir wüßten erst das Niedere recht gründlich ehe wir uns so hoch hinaufschwingen....."* und weiter *„Einen Professor des Fabriksfaches, wie ich ihn vorschlug, dieser lese am Museum vor...das ist für unser Land weit nothwendiger als die andern...".*
Dann aber ist es immer wieder der Naturbegriff, der all solchem Denken gegenübertritt, die Hingabe an die Schönheit, die Stille, die Reinheit.
Und gewiß war es dann, als er Anna begegnet eben auch eine solche Komponente, die wesentlich für seine Liebe zu ihr wurde, die Vorstellung nämlich von der wertvollen Lebensweise und Treue der Gebirgsbewohner *(„...welches Herz bei manchen Menschen, wo noch nichts verdorben. Wie ist die einfache Sprache weniger Worte herrlicher als alle die glatten der gebildeten Welt. Es ist ein hell brennendes Licht, Gott erhalte solche Menschen, die gibt nur das Gebirge...." )* (zit. Steirische Berichte III.1959, Nr.2/3, p. 3) Von einem Naturerlebnis schreibt er einmal in sein Tagebuch: *„Sinn für die Natur ist eine seltene Sache. Es ist ein so herrlich Ding die Einsamkeit. Man ist sich wiedergegeben. Und dann die Anschauung der Natur! Welcher Trost, welches Licht! Wie ist man dann befreiet von allem irdischen Schlamme, wie gestimmt zu ernster Arbeit, zu größtem Fleiß...."* ( zit. nach J. G. Kölli, die Quelle all meines Tun, in Steirische Berichte III./1959, Nr.2/3, p. 59)
Auf solchem Fundament wurde die Anlage seiner Kunstsammlung zu weit mehr als irgendeiner Sammlung von Bildern oder Ansichten. Die Blätter entstanden alle im direkten Auftrag an die Maler und dies zumeist mit sehr genauen Angaben. Es ist genau das der Grund, warum die Aquarellsammlung ein so unschätzbares Gesamtbild von der geistigen Profilierung ihres Auftraggebers abzugeben vermochte.
Stellt man sich nun die Frage, welche Ausgangslage der Erzherzog denn gegen die Jahrhundertwende von 1800 erkannt haben konnte, als er seine ersten Aufträge zu erteilen begann, so muß man wohl zunächst davon ausgehen, daß die Theresianische Ära - eben als Johann geboren wurde - zu Ende gegangen war. Maria Theresia war knapp ein Jahr zuvor gestorben. Umsomehr aber war Johann in die Spannung zwischen seinem Vater, Leopold, damals Großherzog der Toskana, zum älteren Bruder Joseph II. hineingewachsen. Damit in das Bewußtsein, welche Fundamente Österreich Maria Theresia verdankte und was nun durch Radikalität und Ungeduld alles am Spiel stand. Man soll übrigens keineswegs immer annehmen, daß

in der Kultur ohnehin alles so wie von selbst, so als eine Art Begleitmusik der großen Geschichte, verläuft. Nicht das Geringste bewegt sich von selbst. Nur das Wollen, Eingreifen, unbeirrte Handel und wahrhafte Leitbilder setzen durch Einzelpersonen bewirkt es.
So war auch Maria Theresia sehr aufmerksam gewesen, als 1766 der junge, von seiner Ausbildung in Paris heimgekehrte Jacob Schmuzer einen Entwurf für die Gründung einer neuen Kunstakademie in Wien vorlegte, und sie bat ihren Berater Staatskanzler Fürst Wenzel Kaunitz um ein Gutachten über die Rolle der Künste in einem künftigen Staatswesen. Wir verdanken Kaunitz einige der bemerkenswertesten Äußerungen darüber: daß ein Herrscher gut beraten sei - heißt es da - die Künste mehr als so manches andere zu fördern; er nimmt Frankreich als Beispiel und geht soweit zu sagen, daß ein Poussin, Lebrun oder Mansard ihrem Lande weit mehr Ansehen, Ehre und selbst wirtschaftliche Vorteile eingebracht hätten als das ganze Militär und alle Feldherren zusammengenommen. (zit. nach W. Koschatzky, Österreichsiche Aquarellmalerei, Fribourg 1987, p. 15, Anm. I/15). Immerhin erstaunlich, dies einer Herrscherin zu sagen, die nicht wenig ihren Soldaten verdankte. Dennoch notierte sie am Rand des Aktes ihre emotional formulierte Zustimmung, sie werde gewiss in allem „secundieren".
Die Akademie wurde damals in Wien neu gegründet, die Zeichenkunst und nicht zuletzt die Aquarellmalerei nahmen ihren Aufschwung. Sie florierte auch lange Zeit mit einer Fülle von Auswirkungen auf den Verlauf der Kunst in Österreich - vorallem unter Heinrich Friedrich Füger - versank dann aber „akademisch" mehr und mehr in öde Repetition antiker Kopien nach Gipsfiguren, in blutleere literarische Themen und eine stereotype - wenn auch für die Porzellanmanufaktur wichtige, also immerhin technisch perfekte - Blumenmalerei. Was aber fehlte, waren eigentliche Aufgaben.
Der junge Erzherzog Johann hatte in Florenz und bald dann in Wien wie seine Geschwister eine von seinem klugen, den aufgeklärten Ideen voll aufgeschlossenen Vater überlegt eingeleitete Erziehung und Bildung erhalten. Ein Schweizer - Baron Mottet - trug dafür Verantwortung. Neben allen Grundfächern und diversen Sprachen ging es aber von Anfang an um das geistige, weltanschauliche Fundament, in dem gewiß religiöser Glaube und gehorsame Konvention nicht fehlten, aber bald hinter jener Lehre zurücktraten, die man im Sinne westlicher Aufklärung als physiokratische bezeichnete. Der Nutzen für den Wohlstand der Bevölkerung ist dabei das humane, aber auch das praktisch - politische Ziel, umsomehr als Frankreich seit 1789 die nicht mehr zu zügelnden Schrecken vorführte, zu denen eine durch Armut, Willkür der Herrschenden und aufpeitschende Ideen wie „Fraternité - Egalité - Liberté!" mobilisierte Bevölkerung fähig war. Durch tatsächlich ideale Begriffe zwar, die aber kaum daß wieder Macht am Ruder war, bereits also in der napoleonischen Hierarchie, rasch zu nichts anderem als bloßen Phrasen wurden.
Die Kunst als bloß ästhetisches Ereignis scheint bei allem Respekt vor den Schätzen in Wien und anderswo in der Erziehung Johanns kaum eine Rolle gespielt zu haben, allzu drängend waren die überwältigenden Anforderungen der Zeit geworden - man vergesse nicht, daß ihm bereits 18jährig - fast im Kindesalter also - der militärische Oberbefehl gegen die uferlos heranschwemmende Armee Frankreichs übertragen worden war. Nichts zur Verfügung als ein dezimiertes Heer, veraltete Grundsätze und einen greisen

General um sich. Ein eigentlich unverantwortlicher Schritt, der 1800 nach der Niederlage von Hohenlinden in Bayern nur mit der schlimmsten Erschütterung und persönlicher Depression enden konnte.
Johanns eigentlicher Rückhalt in Wien war - durch Mottet herbeigeführt - ein bedeutender Gelehrter geworden, Johannes von Müller, ein Schweizer Historiker, der als kaiserlicher Hofrat von 1792 bis 1804 an der Hofbibliothek tätig war. Dessen Philosophie ging von zweierlei aus: von Natur und Geschichte. Von der unbedingt erforderlichen Rückkehr des Menschen zu seinen natürlichen Quellen einerseits also wie sie Rousseau forderte (schon 1732 hatte dies in der Schweiz Albrecht von Haller in seinem Lehrgedicht „Die Alpen" vorgeformt) wobei dem eine Überzeugung zugrunde lag, nämlich daß sich in den Bergen das reine, natürliche Leben erhalten habe, es in den Städten jedoch zu unmenschlicher Selbstsucht, Hinterhältigkeit und höfischer Dekadenz mit allem moralischen Niedergang entraten sei.
Johanns spätere Äußerungen über Wien sprechen dazu eine mehr als deutliche Sprache, so in einem Brief aus der Kaiserstadt vom 4. Jänner 1812: *„Sie wissen wie wenig mir der hiesige Aufenthalt anstehet, und leider habe ich täglich Ursache mehr meine Ansichten zu bestärken, die Menschen suchet man hier vergebens, gute giebt es wenige, und diese müssen mühsam gesucht werden, desto mehr aber solche, die ohne einen bestimmten Charakter zu besitzen, im Taumel fortleben und ganz die unserm leichtsinnnigem Zeitalter gemäße Bildung haben. - Nichts als Leichtsinn, kleinliche Leidenschaften, Bosheit, Fühllosigkeit, moralische Verderbtheit, Mißtrauen, und vorallem die so verabscheuungswürdige Selbstsucht prangen - Man lebt in beständigem kleinen Kriege, nicht gegen die Gebrechen um zu bessern, sondern gegen die Personen, um zu stürzen, um sich höher aufzuschwingen.... " Und Johanns Konsequenz daraus im selben Brief: : „..Möge mich bald der Himmel von hier wegbringen, mir ist nur dann wohl, wenn ich über den Semmering gesezet meine Berge wiedersehe, die reine Luft athme und mich in den schönen Thälern und Gegenden unter einem Volk befinde, welches zwar nicht den hochgepriesenen - nicht haltbaren - Firnis der großen Welt besitzt, aber redlich, offen, gut, herzlich..."* ist. (zit. Kammermaler 1959, p. 21).
Noch deutlicher wird solches Fundament vielleicht, als Johann viel später im Jahr 1850 - neun Jahre vor seinem Tod - von der Bildung seiner Lebensgrundsätze spricht, an Müller dabei denkt, und sie noch einmal so knapp zusammenfaßt: *„Denken, richtig denken und jenes was in der Welt nötig ist gründlich zu wissen, das ist die Hauptsache; zugleich Bildung des Herzens, das Eigene stets dem Wohl seiner Nebenmenschen nachzusetzen. Ja, ich kann es nicht genug wiederholen..."*
Die andere von Müller gewonnene Einsicht betraf die Bedeutung der Geschichte. Sie beruht für den Erzherzog auf unbedingtem Freiheitssinn und wurde für ihn überhaupt zur Hauptquelle allen Handelns. Die Geschichte verstand er als eigentlichen *„... Trost. Diesen zu suchen verdanke ich Müllern und Hormayrn, das vergesse ich ihnen nie.. es ist der Schlüssel zu allem. ...wie ich denke, wie mein Streben nichts ist, als für die Freiheit des Menschen zu wirken. Haß allen Despoten; wie mein Leben bloß dazu gewidmet ist, Gutes zu tun..."* (zit nach J. G. Kölli in Steirische Berichte III/ 1959, p. 74). Die Vorbilder für alles Handeln, meint er, habe man aus der Geschichte zu wählen, an ihnen erweist sich, was Tugend, Mut und Kraft sind.

Alles dies verband Johann unverzüglich mit seinem physiokratischen Fundament; solle nicht alles bloß schönes Gerede, leere Theorie bleiben, dann müsse es von denen, die Macht dazu hätten, auch umgesetzt werden. Dazu gehöre, daß neben dem Wissen, dem Erfassen der natürlichen Grundlagen - Geologie, Geognosie, Botanik, Mineralogie usw. - wie dem vollen Benützen aller mechanischen und physikalischen Erfindungen (nur so ist Johanns epochaler Besuch bei James Watt im Jahr 1816 zu verstehen) die Gemütsbildung einhergehe. So formt sich langsam doch immer deutlicher für ihn die Folge für die Kunst: Deren Aufgaben folgen solchem Weltbild, nämlich der Berührung des Gemütes durch die Schönheit der Natur, der Bergwelt, der schönsten Punkte der Alpen, um Leitbilder zu setzen und das Eigene erkennen zu lassen. Doch zunächst forderte die Zeit zuvor noch eine andere Motivation stärker heraus. Auch diese kam von Müller her. Der Krieg Österreichs gegen die Übermacht der französischen Heere hatte sich immer dramatischer entwickelt. Nichts überhaupt schien den überlegenen militärischen Usurpator Napoleon aufhalten zu können. Der Kaiser in Wien wurde zur letzten, ja einzigen Hoffnung aller Deutschen, und das obwohl die Monarchie selbst schon am Rande des Unterganges stand. Alle Kräfte waren also aufzubieten, alles strömte nach Wien, die Denker, die Philosophen, die Freiheitskämpfer. Die Brüder Schlegel hielten hier ihre berühmte Vorlesung über deutsche Geschichte, Theodor Körner suchte Zuflucht in Wien und die vor allem aus Sachsen zuwandernden romantischen Künstler wie die Brüder Olivier entdeckten die Schönheit unseres Landes.

Es hatte dies für Johann etwas Befremdendes. So ging es ihm nun umsomehr darum, die Geschichte *Österreichs* und die landschaftliche *Wirklichkeit* wirksam werden zu lassen. Nicht die blaue Blume irgendeiner weltfernen Träumerei. Jetzt müsse es um das Wecken der Kräfte gehen, um Bewußtwerden des Eigenen, dessen, was es zu verteidigen gilt, aus der Geschichte Österreichs heraus, und genau so um das Erkennen der herrlichen österreichischen Natur, der Bergwelt, der schönsten Punkte der Alpenregion. Und dieses Eigene geht hin bis zur Lebensweise der Bewohner, zu deren innerer Haltung und ihrem dementsprechenden Ausdruck in der Vielfalt schönster durch Jahrhunderte in den Regionen entwickelter Kleidung. Wir haben bis heute darin die Quelle der Pflege steirischer Tracht zu verstehen.

Nun hatte Johann unmittelbar nach Hohenlinden schon 1801 eine andere militärische Aufgabe übertragen erhalten, nämlich als "Generaldirector des Genie- und Fortificationswesens" - wie der Titel lautete und was soviel bedeutete wie Oberkommandierender der Pioniertruppen - den natürlichen Schutzwall der Gebirge militärisch auszubauen. Durch den Bau von Festungsanlagen sollte den napoleonischen Eroberungsgelüsten getrotzt werden können. Was er als immer notwendiger erkannte war, dazu eine Bewaffnung der Bevölkerung selbst in einer gut und streng organisierten „Landwehr" zu schaffen. Der „Landwehrmann" wurde zu einem Ideal des treuen, tapferen Verteidigers der Heimat. Doch eben an diesem Punkt setzte zum erstenmal der Konflikt mit dem kaiserlichen Bruder Franz II. (I.) ein. Diesem schien die Volksbewaffnung nicht wenig suspekt, erinnerte sie doch allzusehr an die Revolution Frankreichs von 1789 mit allen nachfolgenden Greueln. Und eben diese an den Wurzeln für alle Zeit zu verhindern galt dem Kaiser doch als allerwichtigste Aufgabe. Es sollte später zu sonst gar nicht erklärlichen Maßnahmen der Obrigkeit Johann

gegenüber kommen, zu seiner Arrestierung gar im Jahr 1811 mit dem Vorwurf, zur Ausrufung eines Alpenkönigreiches mit England konspiriert zu haben, und nicht minder 1823 zu dem Verbot, die steirische Tracht in Wien zu tragen.
Johann jedenfalls begann sogleich 1801 eine fieberhafte Bereisung aller Grenzen, der Pässe von Tirol - die Franzensfeste wird gebaut - ein bis heute erstaunliches Werk -, Kufstein nicht minder zum Bollwerk gemacht, die Grenze bei Scharnitz befestigt, im Salzburgischen und in Kärnten Verteidigungspunkte errichtet, Malborghet etwa und der so spektakuläre Ausbau des Predilpasses. Das erste bildmäßige Zeugnis einer augesprochenen topographischen Arbeit in solchem Zusammenhang stellt wohl jene 1801 erschienene für den Erzherzog durch den Verleger Joseph Eder in Wien veranlaßte und durch den jungen aus Freiburg stammenden Schüler der Wiener Akademie FERDINAND RUNCK (1764-1834) hergestellte Serie von Ansichten aus Tirol dar, die von Benedikt Pieringer als Farbradierungen geätzt, weite Verbreitung fanden. Schon ab 1802 aber begleitete Johann der junge Schüler der Kunstakademie JOHANN KNIEP (1779-1809) - er wurde Johanns erster Kammermaler - zunächst in die obere Steiermark.
Kurz zuvor im Jahr 1802 hatte dessen Professor Friedrich Brand ihn der Akademie für ein Stipendium vorgeschlagen, in dem es heißt: *„...Bei der mir anvertrauten Schule befinden sich zwey außerordentliche Talente. Diese sind Johann Kniep und Joseph Mößmer. Ersterer hat alte verarmte Eltern und der zweite ist ein vaterloser Waise. Die Dürftigkeit beyder /: indem sie sich nur von Brot nähren können :/ verhindert sie ihrer Geschicklichkeit mehr anhängen zu können und stöhrt ihre Ausbildung...."*
Nun ging es bei dem ersten Auftrag des Erzherzogs wohl ebenso um militärisch wie wirtschaftlich interessante Punkte, um die Straßenengen bei Frein, beim Toten Weib oder den Eingang von Neuberg, wo Johann vor allem die so kriegswichtige Eisenindustrie besuchte. Solche Aufgabe muß für ihn - den Schüler von Mößmer und Janscha, den Mitarbeiter an den Wiener Veduten von Schütz-Ziegler - überraschend gewesen sein. Die Besteigung der Schneealm vom 6. August 1802 - nahe der Rax - war also für ihn ein durchaus epochales Ereignis, wurde sie doch mit dem Besuch von Neuberg im oberen Mürztal auch für Johann zum Auftakt seiner Liebe zur Steiermark uberhaupt.
Es folgten 1803 Mariazell, Gußwerk, Gollrad, wo Kniep zwar die industriellen Anlagen festhält, doch ebenso Johann auf den Hochschwab begleitet (7. Juli), um zuletzt in der Dullwitz, wo man übernachtet, seine überhaupt schönsten Blätter zu schaffen. Die Reise von 1804 dann galt einer doch noch weit ausgedehnteren militärischen Unternehmung, die nach Krain bis an die Grenzen der Lombardei und der Schweiz führte und als Ergebnis einen eindrucksvollen Klebeband von Aquarellen ergeben hat.
Das letztemal dürfte Kniep im Oktober 1808 Reisebegleiter seines Herren gewesen sein, wo noch Bilder der schönsten Gegenden des Ennstals mit Admont, dem Grimming, Hochtor und Pürgg entstanden. Der heftige Kriegsverlauf von 1809 jedoch unterbrach solche Arbeiten. Kniep war nun bereits allzu geschwächt von Not, Mühen und Krankheit. Er starb plötzlich. Nervenfieber wird im Totenprotokoll als Ursache vermerkt, aber es war wohl vielmehr die elende Verfassung, welche ihn zugrunde gerichtet hatte. Johanns Sekretär Julius Gebhard meldet kurz danach: *„Der gute junge Mann Knipp ist den 30. Julius gestorben.*

*Bestürzung über die widrigen politischen Ereignisse, die ihm schwerfallende Aussicht in die düstere Zukunft.."* hätten seinen Tod herbeigeführt.
Johann war beim Erhalt der Nachricht sehr betroffen gewesen, bemühte sich aber rasch um einen Nachfolger, um sein Programm fortzusetzen. Er fand ihn in dem - ebenso wie Runck, der ihn auch empfohlen haben dürfte - aus Deutschland stammenden JACOB GAUERMANN (1773-1848). Die als Muster vorgelegten Zeichnungen des sich in Wien ziemlich mühsam vor allem als Zeichenlehrer etablierenden Künstlers gefielen, und Johann befahl schon für die nächstfolgende Bereisung im Jahr 1811 dessen Teilnahme. Den Anfang bildete die Gegend, die Johann 1810 so großen Eindruck gemacht hatte, der Schwarzensee im Sölktal. Von da an alljährlich wandert er für die Aufgabe der *„Prospecte steyrischer Landschaften"* und unternimmt seine ausgedehnten Reisen *„um die Natur dieser Gebirge und ihre Bewohner mit seinem tiefen Gemüthe und Schönheitssinn und seiner vielseitigen Auffassungsgabe in jeder Beziehung durchzustudieren"* wie ihn uns Hormayr bereits 1821 im Archiv für Geschichte (Nr. 43) schildert. Bis 1818 war dann diese Serie der steirischen Landschaftsaquarelle mit insgesamt 62 Aquarellen geschlossen fertiggestellt, die bis heute den Kern der Erzherzog Johann-Sammlung bilden (vgl. Ausst. Kat. Erzherzog Johann von Österreich. Stainz 1982, Band II Beiträge, p. 406) und deren vor allem topographischer Gehalt von geradezu unschätzbarer Bedeutung ist.
Gauermann wurde 1818 zum Kammermaler ernannt, bezog von da an einen Monatslohn von 200 Gulden - ein Lebensfundament sondergleichen - aber es begann seine Leistung für Johann immer mehr abzusinken. Zwar ist er noch vom ersten Tag der Erwerbung des Brandhofs an für dessen Ausschmückung tätig, es entstehen von 1820 bis 1822 gemeinsam mit Gottlieb Mohn die Glasfenster für das Jägerzimmer sowie auch Entwürfe für die Kapelle und den Speisesaal, dennoch war Gauermann mehr und mehr an seinen durch Heirat gewonnenen Landsitz Miesenbach bei Gutenstein gebunden, widmete sich der Familie und im besonderen der Erziehung seiner beiden hochbegabten Söhne Carl und Friedrich, konnte also die Wanderungen seines Herren nicht mehr so mit bestreiten. Bis zu seinem Tod im Jahr 1843 aber bewahrte er „seinem Erzherzog" die volle tiefe Zuneigung der früheren Jahre, auch wenn er sie später nur mehr mit alternder, oft schon recht ungelenker Hand in jährlichen Glückwünschen zum Ausdruck zu bringen imstande war.
Eben damals 1802 auf der Festungsreise bei Scharnitz war es noch durch Kniep zu einer lebensentscheidenden Begegnung gekommen. Er brachte einen enthusiastischen Mann zum Erzherzog, einen jungen Historiker Josef Freiherr von Hormayr. Gebildet, beredt, von umfassendem Wissen wie er war, trägt er dem Erzherzog vor, daß zur Verteidigung Österreichs eines unbedingt mehr als alles sonst geschehen müsse: die geistige Mobilisierung! Den Menschen wäre erst bewußt zu machen, ihnen vor Augen zu führen, worum es überhaupt ginge, was es zu verteidigen gelte; die Bedeutung, die Geschichte des Vaterlandes - man vergesse nicht was in Frankreich inzwischen an gesteigertem Nationalismus der Grande Nation bereits alles geschehen war - die Größe des Kaiserhauses, die Eigenart und Bräuche der gesamten Bevölkerung, sie gehörten zum Begreifen der Identität erfaßt und gepflegt, und Johann verstand sofort, worum es gehe.

Er erteilt Auftrag an Hormayr aus der Geschichte Österreichs solche Szenen zu wählen und sucht selbst auch sofort nach geeigneten Künstlern. Er wendet sich an die Akademie. Die Historienklasse macht Vorschläge begabter Schüler und darauf erfolgt etwas Bezeichnendes: für alle, die Johann wählt, gilt, daß sie als mittellos, von armen Eltern oder notleidend bezeichnet werden, denn auch zu helfen, zu fördern war offensichtlich von allem Anfang an eines seiner Motive.
Er entscheidet sich auf dem Gebiet der österreichischen Geschichtsbilder für ANTON PETTER (1781 - 1858), der seit 1792 die Akademie besucht und die verschiedenen Klassen der Handzeichnung, der Antiken, der Malerei durchlaufen hatte, um sich schließlich für das Fach der Historienmalerei zu entscheiden. Sein Lehrer Hubert Maurer suchte am 9.September 1798 bei der Leitung der Akademie um eine finanzielle Zuwendung an seinen Schüler an, damit dieser die Möglichkeit fände, sich in der Ölmalerei auszubilden: für *„...den mittellosen Jüngling Anton Petter, 17 Jahre alt, welcher meine Schule...mit besonderem Fleiß besucht auch vermög seiner natürlichen Geschicklichkeit sehr gute Fortschritte und schon zwey Preiße in meiner Schule erhalten hat...."* Petter empfing später ein ihn auszeichnendes Stipendium nach Rom, das er 1808 dann antreten konnte. Bereits ein Jahr später wurde ihm sogar der zur jährlichen Vergabe von dem Kunstfreund Reichel gestiftete „Reichelpreis" - es war dessen erste Verleihung - in Höhe von 800 fl für seinen „Toten Aristides" verliehen. Sein größter Erfolg für Erzherzog Johann wurde jedoch 1813 das große Ölgemälde mit dem ihm aufgetragenen Thema „Die Begegnung Maximilians mit Maria von Burgund", das gedacht war im Schloß Thernberg anzubringen (siehe Kammermaler 1959, p. 42 und 118 ff). Eben da geschah etwas Spektakuläres. Johanns Möglichkeiten ließen natürlich Besonderes zu: er veranlaßt, daß das gesamte von den Historikern erforschte, in der Nacht des 18. August 1477 in Gent stattgefundene Ereignis - den Augenblick am Anfang einer leidenschaftlichen Liebe, bei dem die Tochter Philipps von Burgund in Begleitung der Herzogin und Großhofmeisterin bei nächtlichem Fackelschein ihrem 18jährigen Bräutigam zum erstenmal begegnete - für den Maler von eigens dafür gewählten und kostümierten Schauspielern im Theater an der Wien auf der Bühne gestellt wurde. Das danach entstandene sehr großformatige Gemälde Petters, dem zeitgenössische Porträts in den kaiserlichen Sammlungen als Anhaltspunkte zur Verfügung standen, erweckte bei seiner öffentlichen Besichtigung in der Akademie großes Aufsehen, Hormayr nennt es sogar „die Perle der damahligen Ausstellung". Es schmückte dann den Audienzsaal Johanns in dessen Wiener Privatwohnung in der Johannesgasse. Doch allzubald veränderte sich des Erzherzogs Leben grundlegend; die Erwerbung des Brandhofs - eines alten sehr einfachen Bauerngutes am Seeberg - und alle weiteren einschneidenden Ereignisse ließen ihn auf solche Repräsentation verzichten und er schenkte das Gemälde seinem Joanneum in Graz, wo es noch heute zu den Hauptwerken zählt.
Johanns greiser Onkel, der eben diesem Neffen der kaiserlichen Familie so besonders zugetane Herzog Albert von Sachsen-Teschen, Gründer der Albertina und unvergleichlicher Förderer der Künste, setzte sogleich mit einem weiteren Auftrag an Anton Petter fort, die Szene der Begegnung „Rudolf von Habsburg begegnet dem Priester" zu malen. was dann gewiß zu einem der Hauptwerke österreichischer Malerei überhaupt wurde.

Doch noch weit näher als Petter sollte ein anderer Künstler dem Erzherzog stehen, nämlich KARL RUSS (1779 - 1843). Nach Hormayrs Vorschlag gelte es *„24 classische Geschichtsmomente aus dem 'Österreichischen Plutarch' durch einen Kranz hoffnungsvoller Künstler...ausführen zu lassen"*. Die Wahl fünf derselben zu entwerfen fiel nun auf Russ, ebenfalls einen Schüler der Akademie. Er war in Wien (in der Vorstadt Laimgrube) als Sohn ärmlicher von Böhmen stammender Eltern geboren, 14jährig - als sich sein Zeichentalent deutlich erwiesen hatte - in die Akademie aufgenommen worden, um schließlich ebenfalls als Schüler Maurers sich ganz der Historienmalerei zuzuwenden. Maurers ziemlich öder Eklektizismus prägte sich ihm wohl allzustark auf und seine Arbeiten behielten dies eigentlich für immer. Russ indes erlangte durch seine Bildung, Kunstbegeisterung und spätere wichtige Stellung als Kustos der Kaiserlichen Gemäldesammlung für die Bildende Kunst in Wien ziemliche Bedeutung.
Der Künstler schilderte später die erste Begegnung mit Erzherzog Johann in seinen Erinnerungen: *„....ließ mich der Erzherzog in die kaiserliche Burg rufen. Er lächelte über meine asiatischen Verbeugungen - fragte mich dann, ob ich diesen oder jenen Autor über Vaterlandsgeschichte gelesen hätte, und war so herablassend die bezüglichen Bücher aus seiner Handbibliothek herbei zu holen. Lesen Sie fleißig, sagte der gütige Herr - zeigen Sie mir bald Ihre Entwürfe...."* (...Melly...).
Das Leben solcher junger Kunsteleven an der Akademie war tatsächlich schwierig genug und von Entbehrungen heute überhaupt unvorstellbarer Art geprägt. Russ schildert diese Zeit sehr berührend: *„...Fünf Uhr morgens standen wir auf, um sechs Uhr trafen wir in der Akademie zusammen, wo wir nach der Antike oder der Natur zeichneten. Darauf eilten wir unverweilt nach der Gallerie, wo wir bis 12 Uhr malten, dann aber in den Belvederegarten gingen, ein Stück Brot aus der Tasche zogen, und während wir es verzehrten, in Fischers Anatomie der Muskellehre lasen. Von zwei bis sechs Uhr malten wir wieder in der Gallerie, und dann erst nahmen wir uns Zeit, etwas Warmes zu genießen, worauf wir nach Raffael, Poussin oder anderen Kunstwerken, z.B. Admiranda Romanorum, bis in die Nacht hinein zeichneten, um uns so in den schweren Gesetzen der Komposition oder dem so ernsten Begriff des reinen Stils zu üben. Wir waren blaß und mager wie getreue Jagdhunde, aus strengem Fleiß; das alles that jugentlicher Ehrgeiz und Begierde, uns vor Anderen auszuzeichnen. Gott segnete uns, denn wir wollten ja unseres Vaterlandes Ehre...."*
1810 ernennt ihn Johann zu seinem Kammermaler und er nimmt ihn von da an als Begleiter auf den Wanderungen durch die Steiermark mit. Was war nun ein Kammermaler. Der Begriff eines Hofmalers besitzt immer einen gewissen abwertenden Aspekt, haftet ihm doch für gewöhnlich nur allzuviel von willfähriger Schönfärberei, von devoter Dienstbarkeit an. Dem doch oftmals nicht immer hervorragendem Geschmack von Herrschern und ihrer Hofkreise recht gefällig zu pinseln scheint damit verbunden zu sein. Und eben dies verschafft den zahllosen Bildnissen in Heldenposen oder der pathetischen Schilderung edler Taten sehr oft beträchtliche Langeweile. Dazu ganz im Gegenteil, und dies ist eigentümlich, verbindet sich mit dem Begriff der Kammermaler Erzherzog Johanns eine völlig andere Vorstellung. Hier geht es um frische Lebensschilderungen und Naturdarstellungen, die manchmal nicht ohne Naivität gewesen sein mögen, aber immer zugreifend und echt waren. Eben dies hat gute Gründe.

Der Hof, das war in der Haupt- und Residenzstadt Wien kaiserlicher Bereich. Die Erzherzöge dem gegenüber verfügten über ihre „Kammern", so daß es im Rahmen des ihnen zur Verfügung stehenden Personals ganz verschiedene Dienste, eben auch Kammermaler gab. Doch eben dieser Kreis von Malern, die Erzherzog Johann auf weiten Strecken seines Weges begleiteten, zeigt eine ganz besondere Profilierung. Dabei ist offenbar gar kein Zweifel, daß so eigentliche Kunstambition gar nicht Johanns Sache war. Eine solche etwa, wie sie sein Onkel Albert von Sachsen-Teschen besaß. Johann hat auch nirgendwo Zeichen gesetzt, daß er von den großen Meistern der Vergangenheit oder Gegenwart Werke gesucht oder gesammelt hätte. Was er besaß war eben sein ideelles Gesamtziel, in welchem aber Künstler eine besondere Aufgabe einnahmen. Kaum wo mag es deutlicher sein, als in einem amtlichen Schreiben Johanns, als er 1811 für seinen Stab, *„....für die Mahler Ruß, Gauermann, Vitinghof und den Mineralogen Mohs"* um Polizeipässe ansucht - deren jedermann damals bedurfte - damit sie ihre Wanderungen vornehmen könnten; es heißt hier: *„...Sie sind bestimmt Steyermarkh und Kährnthen zu bereisen und für mich neue Materialien zu der in Arbeith befindlichen Landesbeschreibung zu sammeln....."*
1810 also war Russ Kammermaler geworden und Johann nahm ihn von da an immer wieder als Begleiter auf den Wanderungen durch die Steiermark mit. Öfters taucht der Maler in den Tagebüchern des Erzherzogs auf, wo geschildert wird, wie er gerne mit ihm am Abend zusammensitzt und spricht, wobei immer wieder dessen Bildung, Belesenheit und Kunstbegeisterung erwähnt wird; so in der Untersteiermark einmal: (wo ich mich) *„....mit meinem Mahler über Griechen, Römer Deutsche, über allgemeine Weltgesetze, Zunahme der Bedürfnisse und Kenntnisse u.dgl. bis in die späten Nachtstunden unterhalten habe..."* und er fügt noch hinzu: *„...die philosophischen Disputas sind mein Steckenpferd..."* Russ seinerseits vermerkt in seinen Erinnerungen umgekehrt: *„...Welches Leben an des Erzherzogs Seite! Seine vielseitige Bildung, seine erstaunlichen Kenntnisse der Geschichte, Geographie, Mineralogie, Chemie, Botanik, Geognosie, Montanistik vesetzten mich in begeistertes Erstaunen...."*
Eben solche physiokratische Zusammenschau kam nicht von ungefähr, das Fundament für Johann lag bei Leopold, seinem Vater. Daß sich nun eben diese Weltsicht grundlegend gegen die am Wiener Hof herrschende Sicht des Kaisers Franz oder des großmächtigen Staaskanzlers Fürst Metternichs wandte, macht Johanns Position umso deutlicher. Man vergleiche, wenn Herzog Albert von Sachsen-Teschen im Jahr 1776 in seinem Reisetagebuch den Besuch in Florenz bei Leopold, dem damaligen Großherzog der Toskana geschildert hatte *„...Man ist überascht von der Fülle seiner Kenntnisse in Physik, Naturgeschichte und Landwirtschaft, er hegt große Sorgfalt für die Hebung des Ackerbaues, der Industrie und des Handels, als der Quelle des Gemeinwohls."*
Alles also fügt sich so zu einem Gesamtbild. Daß der naturwissenschaftlichen Sicht des Physiokraten auch die Aufträge für seine Maler entspringen mußten, ist klar. Die botanischen Werke eines JOHANN KNAPP (1778-1858), gipfelnd in seinem 1822 beendeten, dem Botaniker Nikolaus Jacquin gewidmeten und heute in der Österreichischen Galerie befindlichen Gemälde „Jacquins Denkmal" war wohl eines der wertvoll-

sten Ergebnisse und entsprach dem, was der Erzherzog einmal an den Mineralogen Mohs geschrieben hatte: *„...Senden Sie mir auch fleissig Pflanzen, damit meine Maler Arbeit haben...."*
Des Malers Karl Russ Ideale indes waren von der Akademie her wohl nach wie vor allein bei der Antike gelegen gewesen, die Größe der klassischen Vor-Vergangenheit war eben akademische Heilslehre. Auch wenn sich die Themen schon bis zur Entstellung abgewandelt hatten. Nun waren Russ dennoch die Ziele seines Herren gerade noch begreiflich, wenn ihm aufgetragen wurde, Darstellungen aus der Geschichte Österreichs zu schaffen. Rudolph von Habsburg und der Priester etwa oder die tapferen Brüder Muhrhofer (wobei er bis zur Kopie genau sich den Schwur der Horatier zur Vorlage nimmt) und sozusagen von der Antike her lassen sich Typus und Haltung eben gerade noch mit historisch-österreichischer Kleidung des hehren Mittelalters versehen. Doch was sein Herr nun plötzlich von ihm forderte, das muß ihn so richtig erschreckt haben. Es war der Auftrag, sich ab sofort zur Gänze der Aufgabe zuzuwenden, die Kleidung der einfachen Menschen am Lande mit ihren steirischen Trachten eben zu widmen, sie in einer Aquarellserie festzuhalten. Das wäre, kam ihm vor, nun wahrlich unter der Würde eines akademischen Historienmalers. Aber er machte sich dennoch unverzüglich daran, den Auftrag getreulich zu erfüllen. Gottlob. Denn nahezu alles was wir authentisch aus der Zeit zwischen 1810 und 1820 in solcher Hinsicht wissen, von Aussee, Eisenerz, Stainz, Birkfeld, vom Mürztal, der Untersteiermerk, aus Murau, Passail, von den Fest-tagsgewändern der Brucker Bürgersfrauen, vom Gwandl des Bauernbuben aus der Veitsch, alles das hat Karl Russ uns überliefert.
Erzherzog Johann zog daraus die Konsequenz, er wollte, daß mit einer neuen Gesinnung auch nach außen eine innere Haltung zum Ausdruck kommen solle und er formt aus der grauen, grün besetzten Lodenjoppe der Obersteirer sein Kleidungsstück, den Steirerrock, dessen Symbol bald - zumindest von den Gegnern Johann - sehr gut verstanden wurde: das Tragen des Steirerrockes in Wien wurde 1823 eben des Charakters der dahinter stehenden Gesinnung wegen verboten. Johann schrieb bald darauf - 1824 - an seine spätere Frau Anna, die er ermahnte, statt einen modischen Schnick-Schnack anzulegen, doch stolz zu sein auf ihre steirische Tracht und deren Schönheit: *„Als ich den grauen Rock in der Steyerkmark einführte, geschah es um ein Beispiel der Einfachheit in der Sitte zu geben. So wie mein grauer Rock, so wurde mein Hauswe-sen, mein Reden und Handeln. Das Beispiel wirkte, der graue Rock wurde ein Ehrenrock und ich ziehe ihn nicht mehr aus, ebensowenig weiche ich von meiner Einfachheit, lieber gebe ich mein Leben her."*
Übrigens hat Anna, wie Johann Enders schönes Porträt zeigt, daraus in der Tat Lehren gezogen; sie trägt auf dem Gemälde ein besonders schmückendes graues Samtkostüm mit grünem Kragen, Aufschlägen und Passpoils, das zwar durchaus biedermeierlicher Mode entspricht und dennoch alles erfüllt was dem steiri-schen Ehrenrock zugedacht war. Aus Loders Aquarellen ersehen wir übrigens noch weit deutlicher, welch wunderschöne Entwicklungen des ausseerischen Dindlgewandes sie geradezu leitbildhaft zu tragen wußte. Ein Künstler, den man wohl nicht zu den Kammermalern zu zählen hat, leistete allerdings zu Johanns Popularität den größten Beitrag; es war PETER KRAFFT (1780-1856), dessen Bildnis Erzherzog Johanns als Jäger (Ausst. Kat. Eh. Johann von Österreich, Stainz 1982/I, Nr. 19/29, Abb. II./p. 423) im Jahr 1817 entstanden war

und bereits im folgenden Jahr von der Hand des Blasius Höfel als Kupferstich größte Verbreitung fand. Die schöne Aquarellstudie ging wohl dem Ölgemälde voraus. Krafft war - so nimmt man an - im Jahr 1808 dem Erzherzog in Graz begegnet. Er war 1802 für zwei Jahre nach Paris gegangen und hatte dort durch Jacques Louis David prägendste Eindrücke erhalten, hatte sodann von der Wiener Akademie den Reichelpreis zuerkannt erhalten, der ihm ermöglichte, einige Zeit in Rom seine Studien fortzusetzen. Er kam mit Ideen, die der österreichischen Malerei neue Gesichtspunkte schaffen sollten zurück, nämlich statt Pathos und Antike dem Genre einfachen heimischen Lebens Ausdruck zu verleihen. Das mußte Johann ansprechen und es scheint im November 1808 - beide befanden sich zu dieser Zeit in Graz - zu der genannten Begegnung gekommen zu sein. Daß Krafft nach Wien zurückgekehrt sich sofort der Historienmalerei mit österreichischen Themen widmete - „Erzherzog Carl ergreift bei Aspern die Fahne des Regimentes Zach" und „der Abschied des Landwehrmannes" (was direkt auf Erzherzog Johann hinwies) - mag Bestätigung genug sein. Die wohl schönste Frucht solcher Impulse mag man in den drei so bedeutenden Wandgemälden sehen, die im Hauptsaal des Reichskanzleitraktes (heute Kaiser Franz Joseph Appartements der Hofburg) drei Momente aus dem Leben des Kaisers Franz schildern. Ob der Erzherzog Peter Krafft direkt für seine Aufgaben gewinnen wollte oder nicht, ob dieser ablehnte oder wie auch immer, bleibt unbekannt; seine Bedeutung für Johann allerdings und mehr noch: für die Bekanntheit der steirischen Tracht durch das den Erzherzog am Felsen stehenden Jäger im grauen Rock darstellende Bildnis, bleibt jedoch unschätzbar. Als Russ 1818 zum Kustos der kaiserlichen Gemäldesammlung im Belvedere berufen wurde ging auch die weitere Bestandaufnahme der steirischen Trachten auf seinen Nachfolger über, vor allem jenen 1816 auf Empfehlung und Bitte von Marie Louise von Parma, der verwitweten Gemahlin Napoleons, Tochter des Kaisers Franz, zu den Kammermalern getretenen MATTHÄUS LODER (1781-1828). Dieser Künstler hatte die Herzogin als Zeichenlehrer nach Italien begleitet, war aber dort an Tuberkulose erkrankt. Das Klima ließ einen Aufenthalt nicht mehr länger zu und Marie Louise dachte, durch ein Leben in der steirischen Natur würde sich sein Zustand bessern lassen. Johann nahm ihn unverzüglich auf.
In den folgenden fast dreizehn Jahren - immerhin die wohl wichtigsten im Leben Johanns überhaupt - wurde Loder nicht nur der feinste, brillanteste und liebenswerteste aller Kammermaler überhaupt, sondern vor allem der authentische Schilderer der Begegnungen mit Anna Plochl und der Geschichte ihrer Liebe, einer Beziehung, deren eigenhändige Aufzeichnung durch Erzherzog Johann unter dem Titel „Der Brandhofer und seine Hausfrau" Viktor von Geramb wohl sehr zu Recht als eines *„der schönsten Selbstzeugnisse des deutschen Schrifttums"* überhaupt bezeichnet hatte (siehe W. Koschatzky Der Brandhofer und seine Hausfrau, Graz 1978, 3. Aufl.; p. 7ff.). Unter dem von Johann gewählten Titel „Vergangene Zeiten" bilden eben diese Aquarelle der Erzherzog Johann Sammlung einen unschätzbaren Schatz der Kulturgeschichte und des österreichischen Selbstverständnisses. Sie geschlossen zu bewahren muß als eine der wichtigsten Pflichten angesehen werden.
Aber Loders eigentlicher Auftrag ging doch mehr noch zur Fortsetzung der dokumentarischen Bestandsaufnahme des Landes. Aus einer Notiz, die *„Marschroute für Loder"* überschrieben ist, kennen wir z.B.

den Auftrag der Wanderung von 1824, (Viktor von Geramb hat sie zum Glück vor dem Krieg bei Studien im Meran-Archiv exzerpiert; auch sie wurden 1945 mit den Tagebüchern Johanns am Verlagerungsort so sinnlos vernichtet) wo es lapidar heißt: *„Trachten des Mürztals, Bürger in Kindberg, Hammerleute in Kapfenberg, Aflenz Trachten, Mariazell Kirche und Trachten, Weichselboden - Holzknechte, Hieflau - Rechenarbeiter, Eisenerz - Bergleute, Radmer, Johnsbach Trachten..."* So genau also waren die Aufträge durch Johann ausgesprochen worden.
Erzherzog Johann wählte ihn, den er dann „den braven Loder" nennen sollte, zum engsten Begleiter auf allen Reisen. Er wurde so recht sein besonderer Vertrauter. In seiner Ehe kinderlos lebte Loder viel unabhängiger als Gauermann, er verbrachte wohl die Winter in Wien, wie Erzherzog Johann auch, wanderte jedoch mit ihm die ganzen Sommermonate lang durch die Steiermark, um 1823 ebenso wie dieser seinen Wohnsitz gänzlich in Vordernberg zu nehmen. Loder wurde allen anderen sichtbar vorgezogen. Meist waren es nur Hauptmann Schell, Zahlbruckner und er, die den Erzherzog begleiteten und gemeinsam die großen Wanderungen über die Almen, durch die Gebirgstäler und auf die Gipfel der obersteirischen Berge unternahmen. So wird er -auch 1819 mit bei der historischen ersten Begegnung am Toplitzsee- der eigentliche Bildchronist der Geschichte von Zuneigung und Liebe Johanns zu Anna. Eben diese Aquarelle sind geradezu unschätzbar.
Und bald wird Loder auch wie Gauermann und LUDWIG SCHNORR VON CAROLSFELD (1788-1853) zur Ausschmückung des Brandhofes herangezogen. Doch eben hier ergab sich unerwartet eine völlige Wendung. Am 10. Februar 1822 war hochbetagt Herzog Albert von Sachsen-Teschen in Wien gestorben. Sein Vermögen, das auf dem Erbe nach seiner Gemahlin beruhte, auch auf eigenem Vermögen aus sächsischer Herkunft, vor allem aber aus kluger Mehrung aus den landwirtschaftlichen Meliorationen der ungarischen Besitzungen, schien nahezu unüberschaubar, und er galt zu Recht als der vermögendste Mann der Monarchie. Nicht zuletzt beruht der Reichtum seiner Kunstsammlung, der „Albertina," auf dieser Tatsache. Zum Haupterben bestimmte er seinen Ziehsohn, Erzherzog Carl von Österreich, der sogleich mit seiner Familie das Palais auf der Bastei bezieht und durch Kornhäusel auf das erlesenste umbauen läßt. Doch Albert hatte zur übrigen habsburgischen Familie kein besonders enges Band. Man findet im Testament von 1816 kaum Zuwendungen. Ein einziger ist es, den völlig unerwartet eine Wende in seinem Leben erwartet: Erzherzog Johann. Er erhält aus dem Erbe den für ihn geradezu exorbitanten Betrag von 200.000,- Gulden, der sein Leben entscheidend ändern sollte. Alles bisher theoretisch Gewollte wird nun Wirklichkeit. Den Brandhof kann er aufstocken, umbauen und reich ausstatten, in Vordernberg das Radwerk II kaufen, in Pickern das Weingut, den Erzberg ausbauen, die Montanschule gründen und vieles mehr. Überall ist sein Kammermaler dabei, um Landschaften und Bauwerke, Lebensweisen und industrielle Fortschritte festzuhalten, alle Stationen zu dokumentieren und deren Bedeutung aufzuzeigen. Zum Höhepunkt von Loders Arbeit allerdings wird wohl das Glasfenster des Brandhofes, dessen Darstellungen gänzlich der Beziehung zu Anna gewidmet sind und das zu den besonderen Leistungen österreichischer Biedermeierkunst zu zählen ist.

Eben das beruht auf einer weiteren Veränderung im Leben Johanns, denn auch im persönlichen Bereich war das Jahr 1823 für ihn von großer Entscheidung geprägt. Am 5. Februar hatte er in einer dramatisch verlaufenen Audienz dem Kaiser in der Wiener Hofburg seine Absicht mit Klarheit und Würde vorgetragen, das Ausseer Bürgermädchen Anna Plochl, Tochter des dortigen angesehenen Postmeisters, ehelichen zu wollen. Johann war nicht zuletzt dazu durch die ruhige Vernunft seines Bruders Carl und dessen Gemahlin Henriette von Nassau ermutigt worden, die geradezu drängte, dem Kaiser doch offen gegenüberzutreten, weil dieser gewiß Beweggründe von Entschlossenheit und Liebe - nach ihrer deutschen Auffassung, zumal sie den Wiener Hof nicht genügend kannte - doch gewiß respektieren würde. Der Kaiser gab sich nun tatsächlich berührt und gestattete Johann überraschend und spontan die Heirat. Er war sogar bereit, dies schriftlich zu bestätigen. Eine Woche später allerdings setzte das höfische Intrigenspiel ein. Der Kaiser stellt neue Bedingungen, beauftragt zunächst die Polizeispitzeln zu recherchieren, bekommt dann allerdings nur günstige Auskünfte über Anna und über ihr Verhalten, was nicht hindert durch Agitation eben in Aussee herabsetzende Rufschädigungen zu verbreiten, so daß der Vater Annas für sein eigenenes Ansehen und das der Tochter gezwungen ist, jede weitere Beziehung zu Johann zu unterbinden.
Ein raffinierter Wiener Schritt, da damit eine Eheschließung genauso verhindert worden war wie durch ein Verbot, nur noch wirksamer. Johann entschließt sich darauf - alles 1823 - zu einem nicht minder geschickten Gegenzug. Er verpflichtet Anna als Haushälterin seines Wohnhauses in Vordernberg, was von irgendeiner Seite zu untersagen kaum möglich war. So lebte Anna für die folgenden sechs Jahre dort und am Brandhof, bis dann Kaiser Franz eines Tages dem Bruder anordnet, nun die Heirat doch vorzunehmen.
Sie findet dann in aller Stille am Brandhof statt. Dem 1839 - erst nach zehnjähriger Ehe - geborenen Sohn Franz entstammt in der Folge die Familie der Grafen von Meran, einer heute sehr ausgebreiteten Familie.
Im Herbst 1821 hatte Johann - am Brandhof von einem Stier angefallen - einen nicht ungefährlichen Unfall überlebt. Die Folgen zu beheben suchte er in Gastein und seinen Bädern. Die herrliche Gegend nahm ihn gefangen; er errichtete ein Wohnhaus, wo er kommende Sommer stets verbrachte. Eben hier erlebte Matthäus Loder seine letzte Lebenszeit, und es waren die vielleicht schönsten seiner Werke - Pinselzeichnungen in weißer Höhung auf dunklen Papieren - die hier entstanden. Sie stellten immer wieder Johann und Anna vor den Wasserfällen dar und sind von reizvollster Erlesenheit. Doch Loder, wie so viele seiner Zeitgenossen, war tuberkulos, wofür natürlich die Anstrengungen der Wanderungen und die hohe Bergluft von großem Schaden waren. Er erreichte gerade noch sein Heim in Vordernberg, um hier am 16. September 1828 zu sterben. Und er bestimmt in einem Testament *„Meine vorhandenen Kunstgemählde wage ich Sr. kaiserlichen Hoheit dem durchl. Herrn Johann , Erzherzoge von Österreich, mit der allerunterthänigsten Bitte zu legieren, daß Höchstdieser das Legat als ein schwaches Zeichen meiner tiefsten Ehrfurcht und unbegränzten Dankbarkeit gnädigst anzunehmen geruhen möge..."* (zit. nach Ausst. Kat. Eh. Johann von Österreich, Stainz 1982, p. 410) .
Erzherzog Johanns Programm jedoch mußte weitergehen. Er suchte sich unverzüglich in Wien den zur Fortsetzung der bereits gewonnenen Aufnahmen am besten geeigneten Künstler. Die Durchführung des

sehr real gewünschten topographischen Programmes läßt aber Erzherzog Johann etwas sehr Ungewöhnliches tun. Er übergibt einfach Loders Skizzen und begonnenen Aquarelle zur Ausführung einem anderen Maler. Dazu wählt er den bereits erfolgreichen und längst profilierten Maler THOMAS ENDER (1793-1875). Allerdings gerät dieser zunächst in Schwierigkeiten, weil er - bezeichnenderweise aus einer sehr ähnlichen Situation heraus, indem nämlich Joseph Rebell mitten in der Arbeit für Kaiser Franz plötzlich an Tuberkulose gestorben war - soeben mit der Fortsetzung der bildmäßigen Ausstattung des großen Saales von Schloß Persenbeug an der Donau voll beschäftigt war. Doch dann ergibt es sich doch und Ender kann die Stelle des Kammermalers annehmen.
Matthäus Loder sollte allerdings keinen unmittelbaren Nachfolger mehr finden. Einen so engen persönlichen Kontakt wie mit ihm hatte Erzherzog Johann mit keinem anderen Maler mehr; außer vielleicht noch mit Schnorr von Carolsfeld, dem er eine besondere Berater- und Vertrauensbeziehung beimaß. Die Gründe dafür lagen einfach in der Veränderung der Lebensverhältnisse des Erzherzogs. Die erworbenen und eingerichteten Betriebe, das Leben in Vordernberg, starke Beschäftigung als Hammerherr, die immer mehr zunehmende Seßhaftigkeit am Brandhof, der intensive Aufbau der Landwirtschaftsgesellschaft und schließlich eine Erweiterung seines Gesichtskreises, als dann im Jahr 1835 das Verbot, Tirol jemals wieder zu betreten, durch Kaiser Franz aufgehoben wurde, eine Einschränkung, die immerhin seit 1811 bestanden hatte: Kaiser Franz hatte damals die Schuld an der Volksbewaffnung und Verteidigung in Tirol Johann zugewiesen, allerdings erst dann, als auch diese die Niederlage gegen Napoleon nicht aufhalten konnte und Metternich politisch opportun mit dem Usurpator ein Arrangement suchte. Johann ging nun also nach Tirol, erwarb bald Schenna bei Meran, wo er auch seine Grabstätte errichten wollte, wie Schloß Stainz in der Weststeiermark, widmete sich mehr und mehr auch im Palais in Graz dem Familienleben und nahm sein Stainzer Bürgermeisteramt durchaus ernst.. Die weiten Wanderungen traten zurück.. Das traf sich insoferne günstig, als Thomas Ender auch 1835 die Professur für Landschaftsmalerei an der Wiener Akademie erhalten hatte und dadurch im Unterrichtsjahr anwesend sein mußte. Die Sommermonate jedoch, die galten zur Gänze der Arbeit für den Erzherzog.
Ender hatte schon 1817/18 als Begleiter der österreichischen Brasilienexpedition reiche Gelegenheit gehabt, sein außergewöhnliches Talent in der Landschaftsaufnahme zu erproben. Mit Recht ging ihm ein besonderer Ruf im Sinne einer neuen realistischen Einstellung zur malerischen Erfassung der Wirklichkeit voran. Eben dies kam Johanns Absicht, ein Bildwerk zur Darstellung der schönsten Punkte der Alpenwelt zu schaffen, besonders entgegen. Noch 1829 begann Ender in Gastein, eben da wo seinen Vorgänger die Todeskrankheit überfallen hatte, und tatsächlich damit, dessen Aufträge durch Fertigstellung der begonnen Skizzen zu erfüllen. Dieses unentwirrbare Mischmasch von zwei so grundverschiedenen Künstlerhänden hat lange Zeit der Forschung ziemliche Rätsel aufgegeben.
Von da an für genau zwanzig Jahre reiste und malte nun der Künstler die gesamten Sommermonate nach einem systematischen Plan (vgl. W. Koschatzky, Thomas Ender, Graz 1982, p. 57 bis 147) und schuf so ein Gesamtwerk schönster österreichischer Ansichten, das kaum seinesgleichen kennt. Durch sein Können, seine

Meisterschaft als Aquarellist und einen enthusiastischen Fleiß von nahezu unbegreiflicher Dimension entstand eine Fülle von Blättern, die zu den hervorragendsten Qualitäten dieses Mediums im 19. Jahrhundert gehören. Auf die Steiermark bezog sich seine Tätigkeit eher weniger. 1841/42 entstanden wohl einige weststeirische Blätter, doch nur mehr im Zusammenhang mit den Besitzungen Johanns, die festzuhalten der Auftrag lautet. 1843 folgte noch die Serie des Brandhofs. Dann aber geht es nach Tirol, zuerst im Norden, dann im Süden und das beschäftigt ihn eigentlich Jahr für Jahr bis 1848. Er empfand sich in hingebungsvoller Treue seinem Herren verpflichtet, arbeitete von selbstloser Bemühung getrieben in einem Übermaß ohnegleichen, und liebte seine Aufgabe, wie die erhaltenen Briefe an den Erzherzog geradezu berührend erweisen (s. w.o. etwa p.132 oder 140 u.a.). Am 19. Oktober 1847 schreibt er und es ist wie ein Schlußwort: *„Meine Aufgabe ist es das Ganze zu erfassen, ich fühle mich recht glücklich, durch mein Kunststreben die Schönheit (der Bergwelt) in Bildern der Zukunft aufbewahren zu dürfen."* Er hat es wahrlich erfüllt.
Das schon wenige Monate danach einbrechende Unglück der Unruhen und Revolution des Jahres 1848 setzte ein schmerzliches Ende. Ender wird auf der pflichtgemäßen Exkursion mit seinen Malschülern der Akademie, die ihn in diesem Jahr in das Tote Weib genannte Tal zwischen Mürzsteg und Lahnsattel führte, bedroht. Die aufgeputschten Studenten attackieren ihn, weigern sich zu arbeiten, machen sich selbständig, er versucht sie zur Raison zu bringen, doch vergeblich. Es kommt zur Auseinandersetzung, in der er unterliegt. Die Leitung der Akademie - verängstigt - gibt den Studenten Recht, dem Professor Unrecht; Ender verläßt zutiefst getroffen und enttäuscht die Akademie.
Für Erzherzog Johann wurde das Jahr 1848 nicht minder dramatisch und es endete auch für ihn mit wohl kaum geringerer Enttäuschung. Seine liberale Lebenshaltung hatte zunächst dazu geführt, ihn in den in Frankfurt gebildeten Reichstag zu berufen und zum Reichsverweser zu wählen, *„ nicht weil, sondern obwohl er ein Erzherzog ist..."* wie Freiherr von Gagern in der Erklärung es ausdrückte. Es erwies sich jedoch nur allzu bald, daß die deutschen Staaten keineswegs geneigt waren, ihre Eigeninteressen aufzugeben, worauf Johann zutiefst enttäuscht sein Amt niederlegte und nach Graz zurückkehrte.
Von da an lebte er eher zurückgezogen, widmete sich der Erziehung seines Sohnes und manchen seiner öffentlichen Aufgaben in der Steiermark, doch zur Fortsetzung der Kunstaufträge kam es nicht mehr.
In dem Werk der Kammermaler, das in dem halben Jahrhundert zwischen 1801 und 1848 entstanden war, spiegelte sich ein neues Lebensgefühl, das seine Grundlagen in den realistischen Forderungen der Zeit besaß, zunächst der Bedrohung durch Frankreichs Eroberungslust entgegenzutreten, dann aus dem Siegesjubel heraus die erwachte Entdeckung des Eigenen auszudrücken, um schließlich der neuen Wirklichkeit eines aufsteigenden industriellen Zeitalters zu entsprechen. Dabei waren es zwei Grundfragen, die dieser neuen Weltsicht des Frühbiedermeier aufgetragen waren, nämlich Antwort zu suchen auf das Problem Volk und das Problem Natur. Wir müssen uns klar sein darüber, daß Kunst immer eine Kraft bedeutet mit nicht intellektuellen, nicht verbalen, sondern unmittelbar wahrzunehmenden Bildern - also Farb- und Formgefügen - auszudrücken, was eine Zeit an Spannungen, Lebensfreude, Schönheitssuche und spontanen

Empfindungen in sich trägt. An uns selbst mag es liegen, diese so besondere Epoche der Geschichte Österreichs durch die Faszination der Bilder begreifen zu wollen. Der Wert der Leistungen der Kammermaler liegt demgegenüber darin, ein sichtbares Dokument für eine der eindrucksvollsten Persönlichkeiten dieser Epoche, für Erzherzog Johann von Österreich, geschaffen und hinterlassen zu haben, dessen aus einer umfassenden Schau gefaßte Aufträge sie in aller Begeisterung, aller Treue und mit dem vollen Einsatz ihres Künstlerlebens zu erfüllen gesucht haben.
Die Anerkennung des Künstlerkreises war zu seiner eigenen Zeit stark. Mögen vielleicht die nachstehenden Worte, die im Jahr 1821 Joseph Freiherr von Hormayr in seinem „Archiv für Geschichte, Geographie, Historie, Staats- und Kriegskunst" für die Kammermaler gefunden hat, die Begeisterungsfähigkeit seiner Jahre spiegeln, sie treffen aber das Wesentliche: *„Manches Künstlertalent verdankt Erzherzog Johanns Geist und Großmuth seine Erweiterung und Entwicklung, sowohl die höhrere Komposition aus der Vaterlandsgeschichte, als eine edlere und innigere in dieser Weise ganz neue Darstellung des nationalen Lebens, auf Gamsklippen und in Tälern, in Winzer- und Sennhütten. - Ruß und Petter - die classischen Momente der Geschichte, von Loder die Trachten und Volksfeste, von Knapp die Flora der norischen Alpen und von Gauermann die herrlichen malerischen Ansichten der Steiermark."*
Für uns bleibt, daß sich in dem Werk der Künstler die Liebe zu diesem schönen Land so stark und bleibend manifestiert hat, ein Gefühl, das eigentlich nie verloren gehen, dessen wir uns auch mit aller Überzeugung immer wieder bewußt sein sollten., und daß uns eben darin Erzherzog Johann so unmittelbar gegenübertritt und spürbar wird. Sehr oft meint man vor diesen Werken eben seine Vorstellungen und Hoffnungen ganz klar und überzeugend vor sich zu sehen, und es sind Hoffnungen, versteht man dann, die gewiß nichts an Wert für heute und die Zukunft verloren haben.

Walter Koschatzky

QUELLEN

W. Koschatzky, „Aus dem Tagebuch des Erzherzogs Johann von Österreich" p.154, in: Albertina-Studien, III. Jg. 1965, Heft 3,
W. Koschatzky, Ausst.Kat. GS Albertina „Thomas Ender (1793-1875)", Wien 1964
Heinrich Zimburg, „Erzherzog Johann und Gastein", Leoben 1982
W. Koschatzky, „Thomas Ender", Graz 1982
W. Koschatzky, „Kunstwerke als Dokumente des Geistes", in: Steirische Berichte, III. Jg 1959, Nr. 2/3, p. 55ff.
M.Th. von Wietersheim, geb. Meran, „Matthäus Loder" in: Ausst.Kat. GS Albertina „Biedermeier und Vormärz", Wien 1978, p.8ff.
M.Th. von Wietersheim, geb. Meran, „Von der Ritteridylle zum Bilddokument - Matthäus Loder (1781-1828), ein Kammermaler des Erzherzogs Johann von Österreich", Diss Univ. München 1982
W. Koschatzky, Ausst.Kat. „Jakob Gauermann und seine Zeit", in: „Biedermeierausstellung Friedrich Gauermann und seine Zeit", Wien 1962, p.38ff.
W. Koschatzky, „Neue Forschungen zu den Glasfenstern des Brandhofes", in: „Alte und moderne Kunst", H. 90, Jg. 12, Wien 1967, p. 28ff.
W. Koschatzky, Ausst.Kat. GS Albertina„„Das Jahrhundert des Wiener Aquarells 1780-1880", Wien 1973
W. Koschatzky, Erzherzog Johann von Östereich - Der Brandhofer und seine Hausfrau, 3. Auflage, Graz 1978
Eva Marko, „Jakob Gauermann 1774-1843, Leben und Werk", Diss. Univ. Graz 1980

Walter Koschatzky

# BIOGRAPHISCHE ANGABEN

Geb. 17. August 1921 in Graz, Realgymnasium Bundeserziehungsanstalt Liebenau, 1936 Militärmittelschule Liebenau, 1945 Studium der Kunstgeschichte, Archäologie und Geschichte an der Karl-Franzens-Universität Graz, 1952 Promotion, 1953 Landesmuseum Joanneum, Direktor 1956, Berufung zum Direktor der Albertina Wien 1961, Bücher und Aufsätze u.a.: „Die Albertina in Wien" 1969, „Albrecht Dürer" 1971, „Die Kunst der Graphik" 1972, „Rudolf von Alt" 1975, „Maria Theresia und ihre Zeit" 1979, „Die Kunst der Photographie" 1984, „Friedensreich Hundertwasser" 1986, „Österreichische Aquarellmalerei" 1987, „Peter Fendi" 1995, „Das Phänomen Graphik" 1996
Zahlreiche Austellungen der Albertina im In- und Ausland; ferner Großausstellungen: Wien Hofburg 1965 „150 Jahre Wiener Kongreß", München 1972 „Das Aquarell", Wien Schönbrunn 1980 „Maria Theresia und ihre Zeit", Stift Lambach 1989 „Die Botschaft der Graphik", Ostfildern 1989 „Holzschnitt heute", Hannover und München 1992 „Karikatur und Satire", Bonn 1996 „Millenniumsausstellung 1896-1996 Kunst aus Österreich".
Vorlesungen an den Universitäten Wien und Salzburg von 1973 bis 1989, Präsident der AICA 1974-1984, Verwaltungsrat des Germanischen Nationalmuseums Nürnberg, seit 1986 Ruhestand.

Walter Koschatzky

# Auswahl der Bücher

1959 **Erzherzog Johann –** Der Brandhofer und seine Hausfrau; Leykamverlag Graz
1963 **Wilhelm Thöny –** Zeichnungen und Aquarelle, Verlag Galerie Welz, Salzburg
1964 **Das alte Wien,** Ausgewählte Ansichten vom 15. zum 19. Jahrhundert, Verlag Galerie Welz, Salzburg
1969 **Das Aquarell –** Geschichte, Technik, Eigenart; Schrollverlag Wien – München
1969 **Die Albertina in Wien;** Residenzverlag Salzburg
1970 **Anton Lehmden –** die Graphik; Residenzverlag Salzburg
1971 **Albrecht Dürer –** Die Landschaftsaquarelle; Verlag Jugend und Volk Wien
1971 **Die Dürerzeichnungen** der Albertina; Residenzverlag Salzburg
1971 **Dürer Drawings** in the Albertina; New York Graphic Society Ltd.
1972 **Hans Fronius –** Bilder und Gestalten; Tusch Verlag Wien
1972 **Die Kunst der Graphik;** Residenzverlag Salzburg
1975 **Rudolf von Alt** 1812 bis 1905; Residenzverlag Salzburg
1975 **Die Kunst der Zeichnung;** Residenzverlag Salzburg
1977 **Gottfried Salzmann –** Aquarelle; Verlag Galerie Welz Salzburg
1978 **Erzherzog Johann – Der Brandhofer** und seine Hausfrau, Neubearbeitung; Leykamverlag Graz
1979 **Maria Theresia und ihre Zeit** (Herausgeber und Beiträge); Residenzverlag Salzburg
1982 **Die Kunst des Aquarells;** Residenzverlag Salzburg
1982 **Herzog Albert von Sachsen-Teschen;** Feldmarschall und Kunstmäzen; Residenzverlag Salzburg
1982 **Mit Nadel und Säure –** Fünfhundert Jahre Kunst der Radierung; Tusch Verlag Wien
1982 **Thomas Ender** 1793 bis 1875 – Kammermaler Erzherzog Johanns; Leykamverlag Graz
1982 **Gottfried Salzmann,** Aquarelle; Neufeld Galerie Lustenau
1984 **Die Kunst der Photographie;** Residenzverlag Salzburg
1985 **Die Geschichte der Dürersammlung** der Albertina; Residenzverlag Salzburg
1985 **Die Kunst vom Stein –** Künstlerlithographien von Anfang bis Heute; Herold Verlag Wien – München
1986 **Friedensreich Hundertwasser –** Das druckgraphische Werk 1951 bis 1986; Office du Livre, Fribourg
1986 **Friedensreich Hundertwasser –** Catalogue raisonné de l'oeuvre gravée; Bibliothéque des Arts
1987 **Österreichische Aquarellmalerei 1750 bis 1900;** Office du Livre, Fribourg
1989 **Rudolf von Alt –** Die schönsten Aquarelle; Residenzverlag Salzburg
1991 **Des Kaisers Guckkasten –** Kaiser Ferdinands Aquarellsammlung; Residenzverlag Salzburg
1992 **Karikatur und Satire –** Fünf Jahrhunderte Zeitkritik; Hypo-Kulturstiftung München
1995 **Peter Fendi** (1796 bis 1842) – Künstler, Lehrer und Leitbild; Residenzverlag Salzburg
1996 **Das Phänomen Graphik** (mit W. Weber und B. Holeczek), Residenzverlag Salzburg

ZEITTAFEL

1741 Hume Essays moral and political
1742 Händel Der Messias
1724 - 1747/49 Bach h- Moll Messe
1758 Quesnoy Tableau économique
1762 Rousseau Du contrat social
1762 Maulbertsch Sieg des Apostels Jakobus des Ä.
1750 - 80 Diderot - d´Alembert Encyclopédie
1775 Gründung der Dampfmaschinenfabrik Boulton &Watt in Soho
1776 Smith An inquiry into the nature and causes of the wealth of nations
1779 Lessing Nathan der Weise
1781 Haydn Russische Quartette
1785 Kant Grundlegung zur Metaphysik der Sitten
1787 Mozart Don Giovanni
1788 Goethe Egmont
1784 - 91 Herder Ideen zur Philosophie der Geschichte der Menschheit
1793 1797 Herder Briefe zur Beförderung der Humanität
1795 Leopold II Die Staatsverwaltung von Toskana
1799 Novalis Die Christenheit oder Europa
1800 Schiller Wallenstein
1801 Haydn Die Jahreszeiten
1801 Gauß Disquisitiones arithmeticae
1804/05 Beethoven Fidelio
1807 F Schlegel Über das Verhältnis der bildenden Künste zur Natur
1807/08 Beethoven Pastorale
Die deutschen Romantiker in Wien: die Brüder Schlegel, Eichendorff, Körner, Z Werner,Weber, B u C Brentano,Tieck, die Brüder Humboldt, A Müller, Franz von Baader
Ab 1806 Die Nazarener in Wien
1810 Kleist Das Käthchen von Heilbronn
1810 - 28 Hormayr (Hsg) Archiv für Geschichte, Statistik, Literatur und Kunst
Ab 1810 Die deutschen Romantiker in Salzburg
1811 Martini ABGB
1814 Stephenson Dampflokomotive Blucher
1812 - 15 Brüder Grimm Kinder- und Hausmärchen
1817 Hegel Encyclopädie der philosophischen Wissenschaften
1817/1818 Ender über 800 Blätter der Brasilienexpedition

40 WALDMÜLLER, Ferdinand: Der Sandling bei Altaussee 1833

1818 C D Friedrich Der Wanderer über dem Nebelmeer
1819 Schopenhauer Die Welt als Wille und Vorstellung
1821 Weber Der Freischütz
1824 Schubert Die schöne Müllerin
1827 Schubert Die Winterreise; 1810 - 28 über 600 (70 Goethe) Lieder
1828 Raimund Der Alpenkönig und Menschenfeind
1816 - 1832 Goethe Ueber Kunst und Alterthum
1833/34 Gurk Eine Wallfahrt nach Mariazell, 40 Aquarelle
1835 Büchner Dantons Tod
1831 - 43 Waldmüller Landschaften aus dem Salzkammergut
Ab 1827 Kriehuber Die Gesellschaft im Bild, an die 25oo Porträtlithographien
Ab 1829 Balzac Comédie humaine (90 Romane)
1831 - 49 Daffinger 451 Blumenaquarelle
1837 Daguerreotypie
1839 Madersperger Erstes brauchbares Modell einer Nähmaschine
1837 Bolzano Wissenschaftslehre
1833 - 49 Jacob und Rudolf Alt 170 Aquarelle altösterreichischer Ansichten für den Guckkasten des Kaisers
1841 Schopenhauer Die beiden Grundproblemene der Ethik
1841 - 45 Schumann Klavierkonzert a Moll
1844 Nestroy Einen Jux will er sich machen
Strauß Vater 251 opera, Lanner 208 opera, Strauß Sohn 479 opera
1844 Comte Discours sur l`esprit positif
1842 - 62 Humboldt Kosmos
1848 Marx - Engels Kommunistisches Manifest
1847 - 53 Liszt Ungarische Rhapsodien
Pettenkofen Die Schule von Szolnok
1848 - 54 Ghega Semmeringbahn
1853 - 54 Mommsen Römische Geschichte
1854 - 55 Keller Der grüne Heinrich
1857 - 59 Selleny etwa 2000 Skizzen der Novara Erdumsegelung
1857 Stifter Nachsommer
1859 Darwin 0n the origin of species...
1861 Semmelweis Die Aetiologie, der Begriff und die Prophylaxis des Kindbettfiebers
1863 Manet Frühstück im Freien
1865/66 Bruckner 1. Symphonie
1866 Mendel Versuche über Pflanzen - Hybriden (10.000 Vererbungs - Experimente)

1861 - 67 Wagner Die Meistersinger von Nürnberg
1868 Brahms Ein Deutsches Requiem
1868 Marcus Kraftwagen mit atmosphärischem Benzinmotor
1868/69 Mussorgskij Boris Godunow
1868 - 69 Tolstoi Krieg und Frieden
1871 Verdi Aida
1872 Monet Impression, soleil levant
1875/76 L C Müller und Makart in Cairo (Der Orientalismus)
1876 Wagner Der Ring des Nibelungen
1879 Der Makartfestzug auf der Wiener Ringstraße am 27.April
1885 - 92 Schindler Die Schule von Plankenberg
Die Maxwell - Boltzmann Konstante und der Begriff der Entropie
Das Mach´sche Prinzip und die Relativitätstheorie
1894 - 1901 Wagner Nutzstilbauten für die Wiener Stadtbahn
1897 - 98 Olbrich Wiener Secession
1895/96 - 1907 Klimt Die Fakultätsbilder: Philosophie, Medizin, Jurisprudenz
1902 Klimt Beethovenfries

1 Alt, Rudolf von 1812 - 1905
Der Gosausee gegen den Dachstein 1845
Aquarell, 28,5 x 23 cm
signiert und datiert links unten „R Alt 1845"

2 Alt, Rudolf von
Blick von Admont gegen das Gesäuse 1879
Aquarell, Deckfarben, montiert auf altem Karton, 28,7 x 44,4 cm
signiert links unten „R Alt", datiert rechts unten „Admont 23 Aug 879"

*Hochtorgruppe (Planspitze, Hochtor, Ödstein) Enns*

Admont 23. Aug 879

3 Alt, Rudolf von
Die Sporgasse in Graz mit dem Luegg 1885
Aquarell, 38 x 27 cm
signiert rechts unten „R Alt", bezeichnet links unten „Graz 3. Sept 885"

*Siehe die Abbildung auf S. 97*

4 Alt, Rudolf von
Das Hafnerhaus am Stein in Salzburg 1887
Aquarell mit Deckweiß gehöht, 50 x 39,3 cm
signiert und datiert rechts unten „R Alt 887"

Alois Eberl bürgl. Hafnermeister.

5 Ender, Thomas 1793 - 1875
Ansicht des Kapruner Ausgußgletschers 1830
Aquarell, 23,3 x 37 cm
signiert links unten „Thomas Ender"

*Siehe die Abbildung auf S. 2*

6 Ender, Thomas
Ansicht der Stadt Graz vom Süden nach 1830
Aquarell, 21,3 x 38,5 cm, signiert rechts unten „Thom. Ender"

7 Ender, Thomas
Schlapperebner- Kees, Gletscherabbruch bei Gastein um 1840
Aquarell, 27,7 x 39,7 cm

*Siehe die Abbildung auf S. 99*

8 Ender, Thomas
Panorama von Vicenza
Aquarell, ca 31,8 x 112,8 cm
Vom Künstler bezeichnet oben „Porta Castella, Domo, St Steffano / tribunale Basilica./ St Piero, Campo Santa, G. Bergamo,Gegend von Padua" unten „St Lelieo, Campo Mario, Eisenbahn Hb, Berrit.....garten,St Ursula, Celestina, St Clara, St Katerina" und zusammengefügt aus drei Teilen

*ohne Abbildung*

9 Ender, Thomas
Gmünd im Maltatal
Aquarell, 32 x 48 cm

10 Gauermann, Jakob 1773 - 1843
Bruck an der Mur von Südosten 1814
Aquarell, 31,8 x 57,9 cm

11 Gauermann, Jakob
Blick auf den Dachstein bei Altaussee 1815
Aquarell, 31,4 x 48,2 cm

12 Gauermann, Jakob
In der Veitsch 1815
Aquarell, 34,2 x 52,2 cm

13 Gauermann, Jakob
Blick auf Schladming 1816
Aquarell, 40,3 x 60,1 cm

14 Gauermann, Jakob
Blick auf Admont mit Buchstein 1816
Aquarell, 35,7 x 57,3 cm

15 Gauermann, Jakob
In der Ramsau
Aquarell, 36 x 121,3 cm
signiert links unten „Jak. Gauermann f."
Mittelfalte

16 Gauermann, Jakob
Der Grundlsee bei Gössl
Aquarell, 19,6 x 30 cm

17 Gauermann, Jakob
Erzherzog Johanns Heimkehr durch das Gesäuse 1836
Aquarell, 31,9 x 21,1 cm
monogrammiert rechts unten „J G", montiert auf altem Karton

*ohne Abbildung*

18 Gauermann, Friedrich 1807 - 62
Die Feste Hohensalzburg 1828
Öl auf Papier auf rentoillierter Leinwand
30,5 x 42,5 cm

*Literatur: Feuchtmüller, Gauermann 1987. Farbtafel, S. 114*

19 Kniep, Johann 1779 - 1843
Weichselboden Juli 1803
Aquarell, 46,3 x 69,7 cm

20 Kniep, Johann
Gollrad (bei Mariazell) mit der Erzrutschen 5. Juli 1803
Aquarell, 28,2 x 43,8 cm

*ohne Abbildung*

21 Krafft, Peter 1780 - 1856
Erzherzog Johann als Gemsenjäger 1815
Aquarell, 28,7 x 21,7 cm (27,9 x 20,6cm)
signiert rechts unten außerhalb des Bildes „PKrafft pinx 1815"

*Vorlage für das 1818 entstandene Ölbild*

22 Loder, Matthäus 1781 - 1828
Weichselboden 1807
Sepia, blaugraue Tusche, Pinsel und Feder über Bleistift
39,9 x 51,6 cm
signiert rechts unten „Loder"

Loder.

23 Loder, Matthäus
Blick auf Mariazell von Nordwesten 1814/15
Aquarell über Bleistift, weiß gehöht, 26,7 x 37,9 cm
gelbliches Papier

24 Loder, Matthäus
Triangulierung auf der Sonnschienalm 1820/21
Aquarell über Bleistift, etwas gehöht mit Deckweiß
26,8 x 53,3 cm

25 Loder, Matthäus
Sonnschienalm 1820/21
Aquarell über Bleistift, weiß und rosa gehöht
32,3 x 51 cm

26 Loder, Matthäus
Sonnschienalm 1820/21
Aquarell über Bleistift, 25,5 x 38,2 cm
Wasserzeichen: C & J Honig

**Rupert Feuchtmüller**
**Ferdinand Georg Waldmüller 1793–1865**
Bilder · Schriften · Dokumente

Herausgegeben von der Österreichischen Galerie 528 Seiten mit 175 Farbtafeln und ca. 1.300 Schwarzweiß-Abbildungen, in 4-Farb-Offset bzw. einfarbig auf 135 g schwerem, halbmattem Kunstdruckpapier gedruckt. Großformat 24 x 32 cm. Leinen, einfarbig geprägt, mit 4farbigem Schutzumschlag
ISBN 3-85447-485-7
DM 270,–, öS 1.980,–, sfr 240,–

**Der Autor**

Rupert Feuchtmüller, geboren 1920 in Moosbrunn (NÖ.), studierte in Wien, habilitierte sich an der Grazer Universität für allgemeine Kunstgeschichte, wo er ebenso wie an der Wiener Universität – seit 1965 als a. o. Prof. – Vorlesungen über europäische und österreichische Themen hielt. Verfasser zahlreicher Monographien über Bauwerke (u. a. Schöngrabern, Wiener Stephansdom) und Künstler (u. a. Kremser Schmidt, Leopold Kupelwieser, Friedrich Gauermann). Leitete die Kunstabteilung des Niederösterreichischen Landesmuseums, das Wiener Diözesanmuseum und große Landesausstellungen in Nieder- und Oberösterreich. Lebt in Wien.

Brandstätter

Ferdinand Georg Waldmüller (1793–1865) gilt heute als der begehrteste österreichische Maler des 19. Jahrhunderts. Schon um 1900, nach einer Phase des Unverständnisses, gestaltete sich die Rezeption euphorisch. Ludwig Hevesi nannte ihn den „Ursezessionisten“ von Wien. Und nach Waldmüllers erstem Biographen, Arthur Roessler (er war auch der erste für Egon Schiele), gab er „dem europäischen Bewußtsein den Begriff der österreichischen Kunst“.

Die vorliegende Monographie präsentiert nun umfassend aus ganzheitlicher, chronologischer Sicht Waldmüllers Leben und Schaffen sowie eine möglichst vollständige Erfassung der Rezeptionsgeschichte und eine Auswertung seiner kunstkritischen Schriften. Eine in vielen Jahren erarbeitete Dokumentation erhellt das historische Umfeld und die Beziehungen des Malers zur Kunst seiner Zeit – bisher ein Desideratum der Forschung.

Seit 1957 der letzte Œuvrekatalog Waldmüllers veröffentlicht wurde, hat man eine beachtliche Zahl von Gemälden wiederentdeckt. Das nun vorliegende kritische Werkverzeichnis stellt damit den allerletzten Stand dar; es enthält über 1100 Werke, versehen mit Abbildung, Besitz- und Ausstellungsangaben. Darüber hinaus enthält der Band auch die gesamten Schriften dieser virtuosen Künstlerpersönlichkeit, deren Werk heute nicht nur für Kunstliebhaber, sondern auch aus volkskundlichen und soziologischen Aspekten von eminentem Interesse ist.

27 Loder, Matthäus
Handel Weißmar hubm 1822/24
Grau und graublau laviert über Bleistift
25,3 x 37,3 cm
eigenhändiger Vermerk rechts unten „Handel D. grau u weiß / Weismar hubm / o Feld / x Wiese / 2 Wasser"

28 Loder, Matthäus
Zahlbruckner und Loder 1823
Aquarell, 14,1 x 10 cm
signiert und datiert links unten „Erinnerung an das Reitereck / im Juli 1823 Loder"

Erinnerung an das Reiter Eck

29 Loder, Matthäus
Einzug einer Prozession in das Hauptportal von Mariazell, zwischen 1823 und 1827
Aquarell über Bleistift, etwas gehöht, 26,8 x 37,9 cm
gelbliches Papier, stellenweise montiert auf altem Karton

30 Loder, Matthäus
Entwurf für das mittlere Glasfenster im Speisesaal des Brandhofs 26. Nov. 1824
Aquarell über Bleistift, weiß gehöht, 23,2 x 17,2 cm
bezeichnet rechts unten „Loder f"

31 Loder, Matthäus
„Männertreu und Zirbenast" 1824
Aquarell über Bleistift, 38,2 x 38,5 cm

*Detailentwurf zum ausgeführten (Kothgasser) Mittelfenster im Speisezimmer am Brandhof*

*ohne Abbildung*

32 Loder, Matthäus
Goldbergwerk bei Gastein 8. August 1826
Aquarell über Bleistift, 20 x 15,5 cm
eigenhändig bezeichnet links unten „Goldbergwerk bei Gastein"

33 Loder, Matthäus
Großvenediger    Ende August 1828
Aquarellskizze über Bleistift, 19,2 x 29 cm

34 Loder, Matthäus
Gebirgslandschaft mit Großvenediger 1828
Aquarell über Bleistift, weiß gehöht
12,3 x 15,3 cm

35 Loder, Matthäus
Erzherzog Johann und Anna Plochl am Wasserfall „Hintere Schröck" bei Bad Gastein 1828
Bleistift, Sepia, weiß gehöht
26,6 x 35,5 cm, blaugraues Papier
eigenhändig links unten bezeichnet „Fall Hintern / Schröck" (unleserlich)

36 Loder, Matthäus
Böckstein bei Wildbad Gastein 1828
Aquarell und Deckfarben, 27,5 x 37,3 cm
signiert und datiert rechts unten in Gold „Loder. /1828"

*Gilt als das letzte ausgeführte und als eines der schönsten Blätter*

37 Schlotterbeck, Wilhelm Friedrich 1777 - 1819
Erlafsee 1809/10
Aquarell über Federzeichnung, 30,2 x 45,9 cm

*Vorlage für Blatt 1 aus der Serie der 6 braungetönten Aquatintaansichten aus der Steiermark von Schlotterbeck, Wien Mollo 1810*

38 Schlotterbeck, Wilhelm Friedrich
Leopoldsteinersee mit Pfaffenstein 1809/10
Aquarell über Federzeichnung, 31,4 x 46,2 cm

*Vorlage für Blatt 5*

39 Schindler, Carl 1821 - 1842
Der Conscribierte 1840
Aquarell, 15,5 x 11,5 cm
signiert und datiert links unten „Schindler 1840"

*Kompositionsskizze zu dem 1841 entstandenen Ölgemälde*

Schindler 1840.

40 Waldmüller, Ferdinand 1793 - 1865
Der Sandling bei Altaussee 1833
Öl auf Leinwand, 34,2 x 27,5 cm

*Siehe die Farbtafel auf S. 27*

*Naturstudie zum etwa gleichgroßen Sandlingbild der Stiftung Oskar Reinhart, Winterthur (Grimschitz 1957, Nr. 377, Farbtafel XII )*

*Provenienz: Sammlung Georg Schäfer, Schweinfurt*

*Ausstellungen: Nürnberg 1967, Nr. 271 - Romantik und Realismus in Österreich, Laxenburg 1968, Nr. 239 mit Abb. Waldmüller aus der S. G. Schäfer; Schweinfurt - Augsburg - Erlangen - Kiel - Würzburg 1979, Nr. 15, Abb.*

*Literatur: Buchsbaum, Waldmüller 1976, S. 89 und Abb. 81; Feuchtmüller, Waldmüller, Bilder Schriften Dokumente, Werkverzeichnis, Nr. 423 mit Abb., Wien Herbst 1996*

3 Alt, Rudolf von
Die Sporgasse in Graz mit dem Luegg 1885
Aquarell, 38 x 27 cm
signiert rechts unten „R Alt", bezeichnet links unten „Graz 3. Sept 885"

KRAUS
Graz, 3 Sept 885
R Alt

7 Ender, Thomas
Schlapperebner-Kees, Gletscherabbruch bei Gastein um 1840
Aquarell, 27,7 x 39,7 cm

41 Loder, Matthäus
Sonnschienalm 1812 - 1814
Bleistift, 31,2 x 47,9 cm, auf angestückeltem Papier
mit eigenhändiger Bezeichnung „Sonnschin - Alpe" „W"/ „S"

Sennschin =

42 Loder, Matthäus
Fischer Haus am Grundlsee 1822
Bleistift, 24 x 34 cm
eigenhändiger Vermerk rechts unten „Fischer Haus am Grundlsee"

Fischer Haus am Grundelsee.

43 Loder, Matthäus
Veitsch, vorne eine kleine Hochofenanlage 1823
Bleistift, 25,3 x 37,3 cm
eigenhändiger Vermerk „Veitsch" „weiß", „Eisenroth", „G", „E"
auf der Rückseite Skizze desselben Motivs

44 Loder, Matthäus
Löscherhuben im Gößgraben  Sommer 1823
Bleistift, 25,4 x 37 cm
eigenhändiger Vermerk rechts unten „Löscherhuben im Gößgraben"
„o grün, x junger Wald, 3 Wiese, 4 Wasser"

45 Loder, Matthäus

Traunmühle beim Grundlsee 1824

Bleistift, 21 x 27,8 cm

eigenhändiger Vermerk links unten „Traunmühle beim Grundlsee"

Traunmühle beim Grundlsee.

46 Loder, Matthäus
Aussee mit der Pfarrkirche Dez. 1824
Bleistift, 23 x 35,8 cm
eigenhändiger Vermerk rechts unten „Ein Theil von Aussee mit der Pfahr kirch, in der Richtung gegen Grundlsee"

Ein Theil von Aussee mit der Pfarr Kirch, in der Richtung gegen Grundlsee

47 Loder, Matthäus
Gedenkblatt zur Einweihung des Erzbergkreuzes 1824
Kupferstich, 36,5 x 53,7 cm
in der Platte links unten „Loder pinx." und rechts „Blasius Höfel sc.Wiener Neustadt"

A-1010 Wien, Hohenstaufengasse 7, Telefon 0222/533 41 74

Satz und Reproduktion: Repro Team Graz
Druck: Seitenberg
ISBN: 3-9500575-0-1